T5-AFW-700
Vol.
2
公式コミックアンソロジー
リピート
Repeat
リコリス・リコイル
Lycoris ecoil

Illustration＝あっと

Illustration＝こるせ

Lycoris Recoil

OFFICIAL COMIC ANTHOLOGY

REPEAT 2

ORIGINAL BY
SPIDER LILY

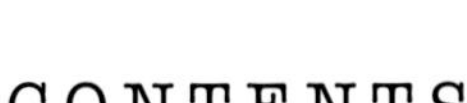

CONTENTS

Cover Illustration

Illustration

Comic

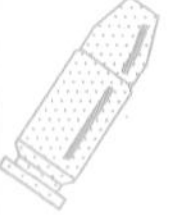

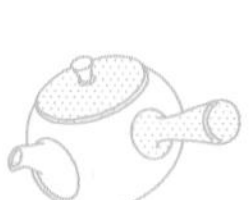

私たちにはできないはずがない ⋮ 筒井いつき

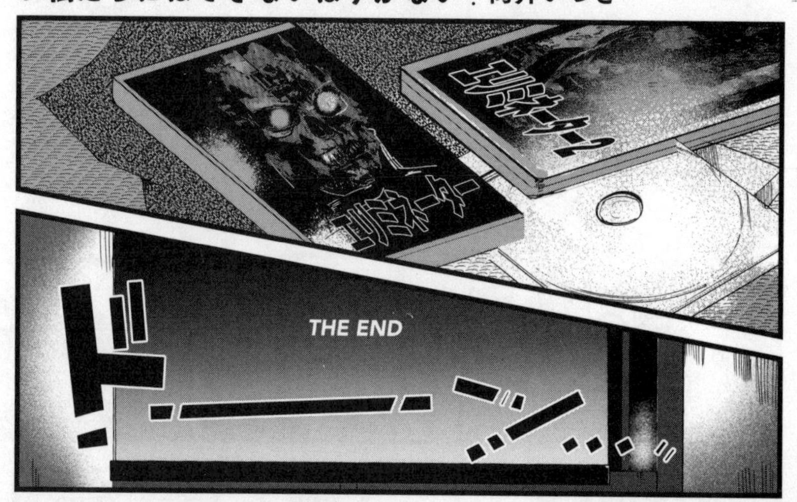

キラ
キラ
キラ
エリミネーター3は
ファンの間でも
賛否両論と物議をかもした
話題作でして―…
ぜひ！
みんなの
感想も聞きた…
ちょっと待てェ！
おいおいおいおいおい
朝まで観るつもりかよ

まだスピンオフと
リメイクが
残ってるから

ククク

え

まだあるんですか

あーでも
その前にこっちの
シリーズの2とか
も見てほしいしー

迷うー

どれがいいかな??

………

そんなに映画が好きなら
映画を自分で撮ってみようと思わないんですか?
ずばり
えー
あんまり考えたことなかったかも映画は観るのが好きだからなー
…というか
私はリコリスだから
アーンド キュートな喫茶店店員
パチューーン☆
はいはい
……………!
パチ
そーだ

たきなが撮ってみてよ！
私の映画
はぁ？

たきなが喫茶リコリコのＳＮＳであげてる写真評判いいし♪
す

最近の映画は携帯のカメラで撮って編集する時もあるんだよ
はい？

脚本とかなんにもないじゃないですか
そこはドキュメンタリーノンフィクション映画ってことでさ

はぁ…
また何を言うかと思えば…
ほらほらー
この辺いい感じじゃん撮って撮ってー

いえーい
どう？
映えてる？
『電波塔の下に
少女何を思う』…とか
どう？
なんちって
………っ
おやおや
見惚れ
ちゃったかー？
にししし
…少しだけです
ってアレ!?
ちょっと

ちょっと一！
電波塔映ってないじゃん！
寄（よりっ）
…横画面じゃ難しいですよ…
貸してたきな私がたきな撮る！
ちょっと
もー！
自分じゃ撮らないんじゃなかったんですか？
たぁー
気が変わった！
はぁ？
なんですかそれ！
じゃあ次交代してくださいよ！
任せろー！
くふふふ

あはははは

……

たきな服
裏表も前後ろも逆――

どうしてホットケーキで
そこまで目を
輝かせられるんですか…

たきなー 顔に
クリームついてる

えっと…
これは…
ホームビデオ…?
仲むつまじくていいですけど…

違うよ!
社会派実録圧倒的
ドキュメンタリー作品
だよー

そうです!
私たちの日常に
迫るノンフィクション
映画なんです

物は言いようでも
カバーできてないぞ

CREATORS COMMENTS

クリエイターズコメント

『私たちにはできないはずがない』

Creator

筒井いつき

Comment

千東とたきなのいろんな表情が描けて楽しかったです！
新作アニメ楽しみです！

Lycoris Recoil
Official Comic Anthology
☑Repeat 2

千束様のお帰りだ～
ピクッ
……
ご近所さん
ごめんなさい～～…!

ガチャ…
うあちゃー
下の階まで…
ぼろ…

片付けというか探し物ね
たきなの私物もあったし
探し物に私物と言ったってこの状態じゃ…
というかもう安全なんですか？

仮に見つかったとしてもこんな状況じゃ捨てるしかないでしょ

たは～

それがなかなか諦めつかなくてね

だいたいその探し物ってなんなんですか？

いやぁ～その…

見ればわかるっていうか…

わからずに探しても見つかるわけないでしょ！

ヤ

あ～～っわかったわかったい言うから！

しおり…

たきなに貰ったやつ…

ぐっ…

今でもたまに見返してて…さ

また作ってあげますよ
しおりぐらい

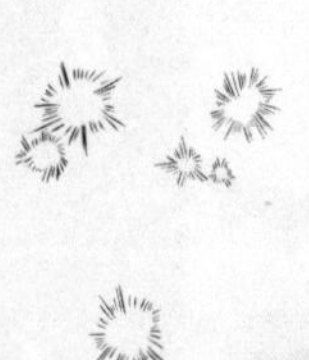

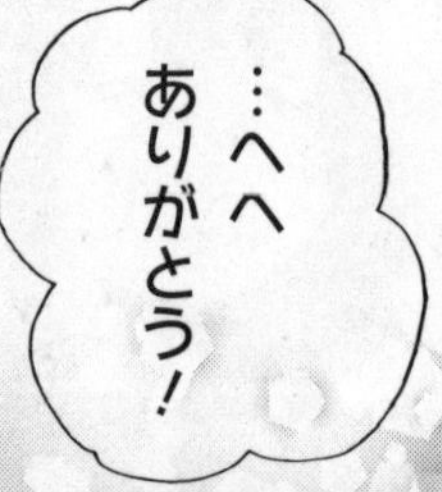

カー
カー

しおり 見つかってよかったですね
ほっ…
あそびの
〜休暇プロ
あははちょっと焦げちゃってるけどね

!

!?
私のパンツじゃないですかコレ!?
ちょいちょいちょいちょいちょいちょいちょいちょい

誤解だってたきな
一度はいちゃったから
洗って返そうと思って
……
それで
持ち帰るって
変態じゃ
ないですか!?
た
たきなぁ～

CREATORS COMMENTS

クリエイターズコメント

『treasure』

Creator

真沼靖佳

Comment

リコリコ新作アニメおめでとうございます！
また２人の物語を見れるのかな…？
楽しみにしております。
２人が可愛いので楽しく描けましたー！
ありがとうございました！

Lycoris Recoil
Official Comic Anthology
☑Repeat 2

The pot calling the kettle black

キ村由宇

フキ！とサクラ
ちーす
ねーねー フキたちも 一緒にやろうよ 似顔絵大会!!
はあ!? やらねーよ
いいっすねぇ あっしは やりますよ 格の違いを 見せつけて やるっす
馬鹿らしい
身近な人の方が 描きやすいのかも しれませんね
うーん…
今日のモデルは 店長にしましょう
え… 私か？
私も参加 してやる

CLOSED
似顔絵大会
開催中!!

何だか照れるな…
そんなに見つめられると…
店長は動かないでください!

じゃあ 順番に見ていきましょうか
では、
まずは千束から
ふふん 私 今日のは自信あるよ
じゃーん!
そっくりでしょ!!
ズギァァアアァァァン
画？
抽象
これは……
相変わらず酷いですね
なんだとー!
じゃあ たきなのはどうなのさ!!
バッ
あ!!
ちょっ
なんだよー
たきなのも五十歩百歩じゃんか!
返して!!

はー
見てられ
ないっすね
やれやれ
なにー!?
じゃあ
サクラの絵を
見せてみろー!
……
いいっすよ?
ま、
一流の
リコリスなら
このくらい
普通っす
あんたら
絶望的に才能
ないっすよ?
ぐっ
ぬぬぬ
ぬぬぬ

優勝はおじですね
まだ分かんないだろー?
ハッ!!
ひひひひひひひ

ふんふんふふーん♪
トゥンク…

没収!
あ!?
ちょっと!何するんの…
……ごめんなさい
ゴゴゴ
ゴゴゴ

あれ？
フキはまだ
描いてるの？
先生の神々しさを
描くのは難しい
んだよ！
もうちょっと
描き込みが…
いいから
見せて
みなって
あっ！
ちょっ…
ガァーン
神

結局
優勝
できません
でしたね
まあ
しょうがない
んじゃない？
だって
あのクルミの
絵には勝てない
っしょ
たいへん
よくでき
ました

CREATORS COMMENTS

クリエイターズコメント

『The pot calling the kettle black』

Creator

キ村由宇

Comment

大好きな作品のアンソロに参加できてとっても光栄です！
大好きなリコリコの日常を
ずっとずっと見ていたいです。

Lycoris Recoil
Official Comic Anthology
☑Repeat 2

ゴゴ
ゴゴゴ
チャ

スッ…
ちょちょ
銃はナシ
反則!!

中の商品
取れればクリア
なんですよね？
そうだけど
手段ってもんが
あるでしょーよ！

銃も立派な手段の
ひとつですよ！
マジか…
んなわきゃ
ないよ！
落ち着いて
たきな
できるから
そもそも
訓練受けてないので
無理なんですって！
自販機使うのに
誰も訓練なんて
受けないの！

少し前
自販機使ったことない!?
はい
ジュースは栄養が偏るのでリコリスは飲みません
DAの教育どうなってんのよ…
千束良い機会だ教えてあげなさい
!

ニンヤリ
なんですかその顔…

おうおうおう千束お姉ちゃんがドキドキレッスンしちゃろう!
わはは
ドキドキはいいです
面白そうだしボクも行くー
ぴょい
っしゃいついてこい!

論理的に…
論理的に考えればいけるはずです…
おーそうだ論理的に行け〜〜？

自動『販売』機…
売買なら金銭のやり取りは必須！

まずは!!
この千円をそれっぽいところに入れます!!

おおお…！
ウィー
ほら見てくださいが入っていきますよ！

ウィィィ
返
返ッ!?

あ〜そりゃ
私にも
むじぃわ

初心者は
小銭にしとけ

電子でもいいぞ

くつ…

チャリンコ

ピッ

はいり
ました!

おぉ〜

で
何買うんだ?

正直何でも
いいのですが

実は 最初から
気になってるのが
ひとつ…

おいしい
おでん

あったか〜い

あれは
…

本当に
おでんが
出てくるので
しょうか…

お鍋
持ってきてないじゃん

べちゃ
あぁ…
◎
Happy!
×
Sad…

食べ物を粗末にするところでした…！
おう
普通にりんごジュースにします！
ぷくくく……

100%
ORANGE
おでん
つめた〜い
つめた〜い
あったか〜い
すすすすす…
つめた〜い
つめた〜い
あったか〜い

…
あれ
そっちで
いいのか？

100%
ORANGE
りんご
おでん
つめた〜い
あったか〜い
おそらく…
『あったか〜い』の
真横にあるのは
ちょっと
ぬるくなってそう
なので…

…
!?

よくぞ
気がついたな
たきな…
自販機
皆伝（かいでん）です
ぷくく…
やはりそう
ですよね!?
だんだん
わかって
きました
では
買いますよ
…！

えいっ
ピ

ガコン

どうですか千束!!
買えましたよ!!
やったなぁ!グレートだよたきな!

ピ
ぴ?

ピ
ピ
ピ
ピ
ピ
ピ
ピ
!?

デジタル数字…!?
そして電子音…
時限爆弾!?
まさか行動を把握されて先回りで設置を…!?
いやまずは防御を!!!
ピ
ピ
ピ
ピ
ピ
ピ

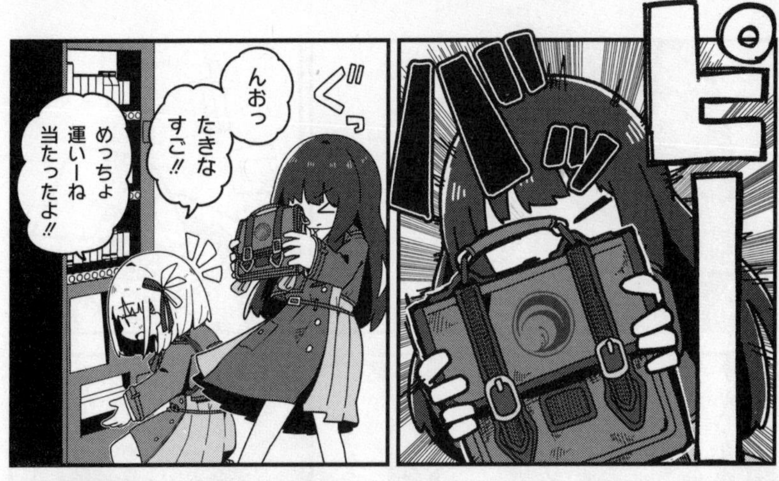
ピピーー
バッ
ぐっ
んおっ
たきなすご!!
めっちょ運いーね当たったよ!!

あた…?
2パーだっけ? 当たんともう一本もらえんの!
…
え? 何? うれしさフリーズ?
…それあげます
やった〜〜〜!

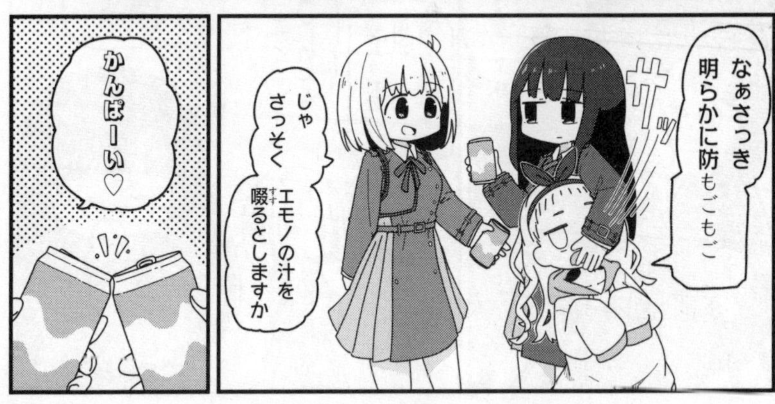
なぁさっき明らかに防もごもご
サッ
じゃさっそくエモノの汁を啜るとしますか
かんぱーい♡

さ 目的も終わりましたし戻りましょう

え~もう帰っちゃうのぉ~?

せっかく楽しいのに

物買うだけで何が楽しいんですか

ぐび ぐび ぐびぁ

自販機爆発すると思ってガードしてた奴が強がんなって~(笑)

そそそんなことしてません!!

私はすごく楽しかったよ〜〜？
たきなのはじめてを共有してさ
これから街で自販機見るたんび今日を思い出すの
ガコン
それってすごく楽しくない？
これは思い出くれたお礼と
当たりのお返しぃ〜

…
千束…

おいしい
おでん

お鍋の話ウソですね!?
ひゃっひゃっひゃ〜〜〜
なぁコレすごいぞ！
コンニャクに串が刺さってるから缶でも食べやすいらしい！
！
…
なるほど合理的ですね

後日
先っ輩
ジュースの買い方
わかんないなんて

恥ずかしいっス
よぉ～お？
リコリスは
飲まねぇン
だよ
…

ニンヤリ
終

CREATORS COMMENTS

クリエイターズコメント

『たきなvs自販機』

Creator

sugar.

Comment

好きな作品の漫画を描かせていただき嬉しいです！
メジャー持って近所に計りに行ったら
自販機とたきなの身長差は約24cmでした。

Lycoris Recoil
Official Comic Anthology
☑Repeat 2

ティータイム・ミッション
……栗かのこ
千束
出かけましょう
おっ…
ぱぁぁぁぁ
おでかけ!?

カシャッ
ん〜〜〜♥♥

?
…うん

美味しいですね

おやおやたきなちゃん

ついに目覚めたかスイーツの魅力に

…え？

いや〜昔は糖質が〜とかカロリーが〜とかうるさかったのにな〜姑かってくらいにさぁ

そうでしたっけ？

ちょいちょいちょい都合よく忘れすぎだろ

それに勘違いしないでください

これは喫茶店の
新スイーツ開発のための
調査ですから
仕事ではなく
出かけると言えば
簡単について来ると思ったので…
摂取カロリーも半分になりますし
ダンッ!!
くっそ～～～～
騙(だま)された～
ゴッ…
あ でもさ
みてみて
こんな表情しといて
言い逃れは
できないぞ～～?
!?
…それにさ たきな
笑顔が多くなったよね
いっ…
いつのまに!?
さぁ…?

もしかして
美味しいスイーツだけじゃなく
喫茶リコリコ
喫茶 リコリコ
Sweets&cafe
…
…そして
私のおかげだったりする？
…
ジ
ー
ッ
あ…
たきなさん？
・・・
あれ…
おーい…
…ふふっ

あははっ
どうでしょうね
…
ほ〜〜…
いい表情してんじゃん
…ごちそうさまでした
…さて千束
調査も十分したところですし

帰りましょうか
『私たちの戻るべき場所』へ
きっちり割り勘しましょう
おう！
おごり…じゃない!!
今度はちゃんと映えるスイーツ作りますからね！
私は好きだったんだけどな〜 あれ

CREATORS COMMENTS

クリエイターズコメント

『ティータイム・ミッション』

Creator

栗かのこ

Comment

たきなそして千束のかけがえのない居場所である
喫茶リコリコが大好きです。
そして新作アニメーション！
おめでとうございます〜!! 楽しみ!!

Lycoris Recoil
Official Comic Anthology
☑Repeat 2

喫茶リコリコ
CLOSED
sweets&cafe

突然だけどたきなくん
リコリコに
マスコットキャラクターが
必要と思わないかね？
シュル…
その心は？

ワンカップ ゆいち

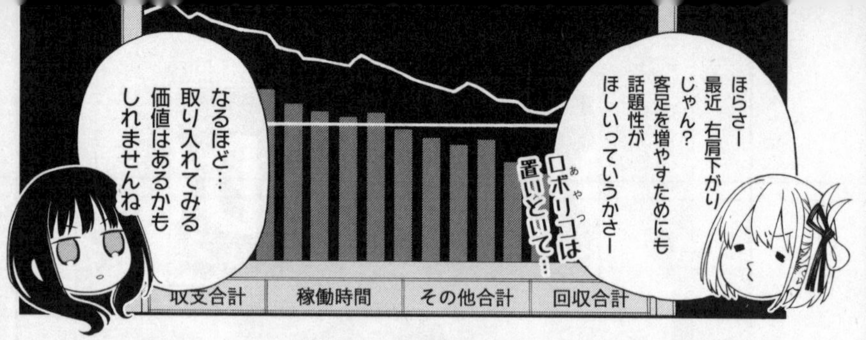
ほらさー
最近 右肩下がりじゃん? 客足を増やすためにも話題性がほしいっていうかさー
ロボリコは置いといて…
なるほど… 取り入れてみる価値はあるかもしれませんね
収支合計
稼働時間
その他合計
回収合計

問題はデザインと描き起こしですが…

そこはもちろん私が描きますよ~!
うきうき
……

この話は
なかったことで
スタター
あとはほら
DAにめっちゃ絵
上手い人いたし！
真島の時のあれ！
……
ちょいちょい
ちょい！
フキ！
フキに頼もう！
〜〜〜
あれはあれで
厳しいと思っている顔
とにかく
まずは
デザイン
しよ！
オー！！
不安しかない…

だめだー‼
なんにも思いつかね〜〜〜〜‼

メニュー開発とはまた違った難しさです…

このまま二人で悩んでいても埒が明かない気がしますが…

………

あ〜あれだよね
マスコットといえばウォールナット!
いいよね〜

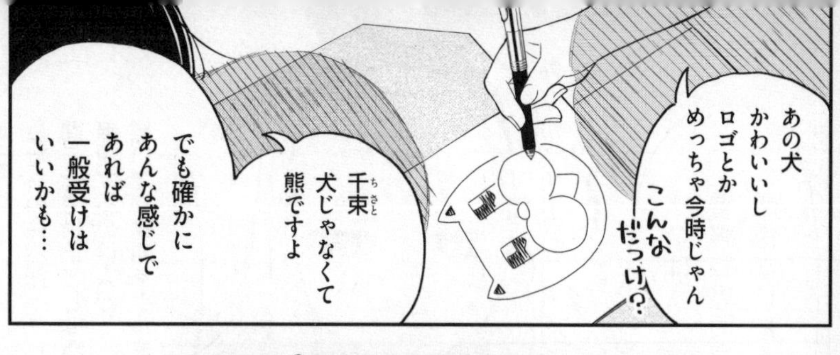
あの犬かわいいしロゴとかめっちゃ今時じゃん
こんなだっけ？
千束犬じゃなくて熊ですよ
でも確かにあんな感じであれば一般受けはいいかも…

ならもうウォールナットにしちゃおうか！
わっ
バカ！それはいろいろマズイだろ!!
あとリスだ!!

あ
ニヤリ

明らかに
私たちの会話が
聞こえていたでしょうに
無視するのは人が
悪いですよねぇクルミさん
ぅう〜…
ボクは
電脳戦専門だから
関係ないだろ〜…
リコリコの危機は
皆の危機でしょーが！
くわっ
とにかく！
ウォールナットが
いいのは本当だし
クルミの力が必要なの！
お願い！ このとーり！
そ…そこまで
いうなら
仕方ないな…
ちょろい…
たきな
んじゃま
とりあえず
聞こえなかった部分の
情報共有を
してくれないか
方向性とかは
決まってるんだろ
モチーフとか…
方向性…？
モチーフ…？
おいまさか…

スッ…
うわっ
なんだこれ…
情報量が多すぎて
なにをしたいのか
わからないぞ…
とべる
つよい!!
かわいい
ドドドド
だって～
せっかくだから
いろいろ組み合わせ
たいじゃん
それダメ
なやつ!
いいか!?
モチーフに
インパクトを出すか
中毒性を求めるか
単純にかわいく
するのか
消費者が求めるのは
いたってシンプルな
ものなんだ
こんなキメラじゃない
とべる
つよい!!
ドドドド
誰が
キメラじゃ
千束
シンプルですか…
あ!
インパクトなら
あれがあるよ!?
ほら!

ホットチョコ
う○こ…

千束の冗談はさておき
見てない時に殴るなんて卑怯だ…
多分本気だったな…
確かにインパクトは大事ですがそれでは持続力がない気がします

私は
リコリコっぽく
万人受けを狙える
かわいいデザインが
よいと思うのですが

ならモチーフは
ロゴにちなんだ
ティーカップで
決まりだな！

一貫性もあるし
動物とかと
組み合わせたら
だいたいウケるぞ

クルミ

ティーカップと
動物ねぇ…

どう
どう
どう!?

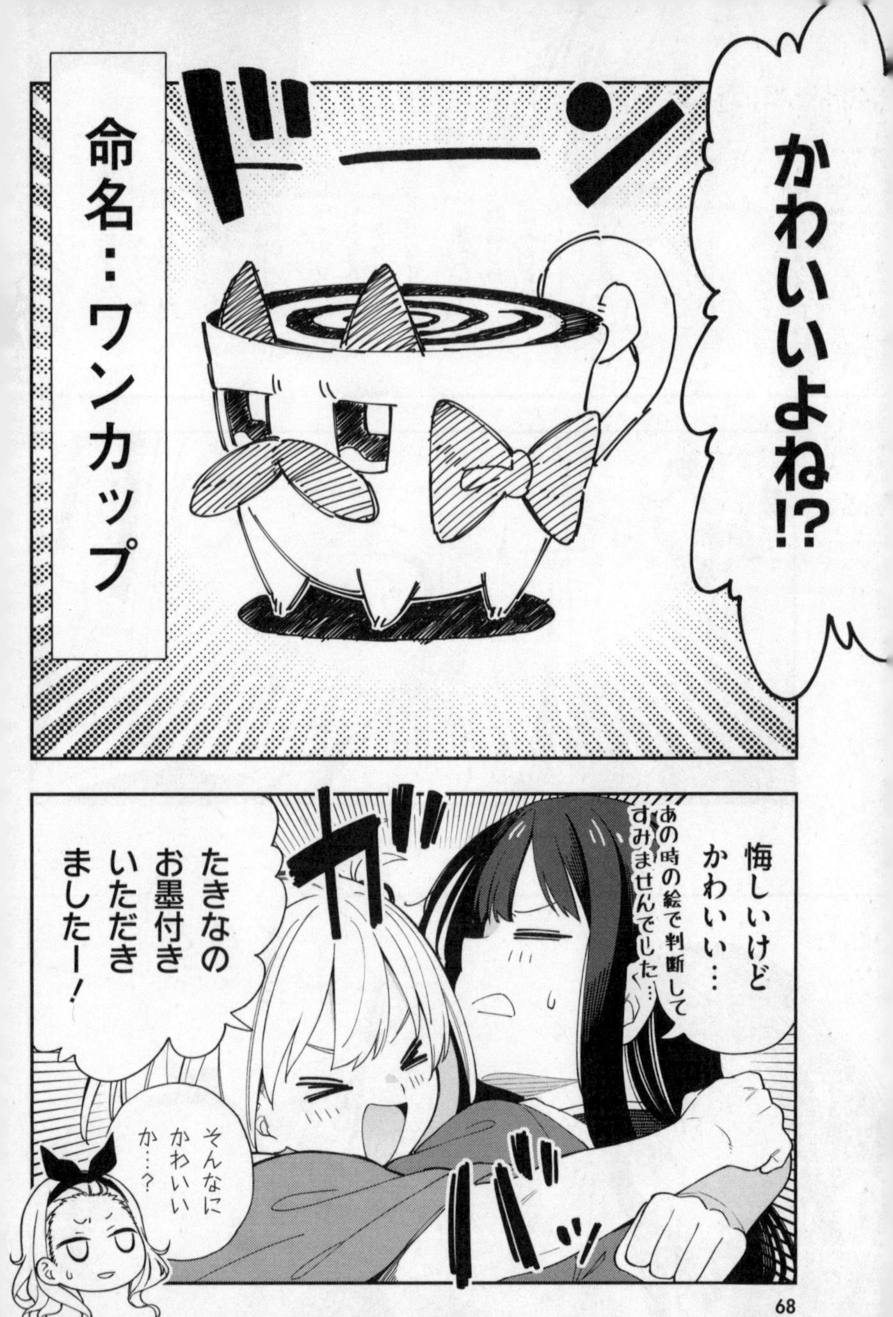

かわいいよね!?
ドーーン
命名：ワンカップ

悔しいけど かわいい…
あの時の絵で判断して すみませんでした…
ガッ
たきなのお墨付きいただきましたー！
バッ
そんなにかわいいか…？

動物なら犬がいいって思ったの！
え…
じゃあ決まりだな！さっそくだがグッズ展開だ！
千束それって…
とりあえずお皿とか小物とか袋とかに印刷すればいいのかなー？
あ！ウォールナットみたいな着ぐるみもほしいな！
アプリ制作もして無料配信もしたいな配信用アバターも作るか！初期費用はかかるがこれも必要経費だ！
！
ズン
ズン
機材費
製作費
印刷費
つぶれる～～
サー

この話は
なかったことで

オオオ…

あちゃー…

企画は
ボツになった

CREATORS COMMENTS

クリエイターズコメント

『ワンカップ』

Creator

ゆいち

Comment

お誘いいただきありがとうございました。
少しでも楽しんでもらえたら嬉しいです。
個人的にワンカップのデザインが可愛くできて満足！

Lycoris Recoil
Official Comic Anthology
☑Repeat 2

ぱしゃ
たきな自撮りチャレンジ
森永ミキ
わッ

何やってんの？
あんたが自撮りなんて
珍しいじゃん
！
まさか
？
婚活には
早すぎるとか
ないもんね！
違いますよ
リコリコのSNS
私も
手伝おうと思って
代理で
つぶやいたきり
触ってないので
あー
そういうこと！
いい心がけ
じゃない♪
だから
練習してみたん
ですけど…
どれどれ
お姉さんが
チェックしてやろう

あ〜
はいはい
スィ

これ全部同じ写真？
3枚とも違いますけど

カタいな！
やはりメニューだけの写真にするべきでしょうか

そりゃ女の子が一緒に映ってた方がウケがいいって！
ほら〜笑って笑って
ぐい
やめてくだひゃ

わぁわぁ
…ん？

何してんの
クルミ！
今 たきなに
自撮りの
レクチャーしてんの
あんたも
やってみる？
トットットッ
自撮り
ねえ…

パシャ

ちゃんと
撮れている…
普通に
撮ればいい

パシャ

店長
まで
普通に
撮ればいい

ふ…普通…
普通に…
パシャコ
やっぱ
カタいって
てかこれ
さっきと同じ
写真でしょ
違いますよ

…
無駄に訓練しすぎなんだって
体力おばけか？
リコリスなので…

やっぱり 千束呼んできてあげる
それが一番早い
ダメです
そりゃ千束は自撮り上手そうだし教えてくれると思いますが

私だけで ちゃんと更新できるようになりたいので…
そうじゃなくて
え？

千束と一緒にいる時のたきなが

一番いい笑顔するじゃん？

たきなーどしたー？

なんか急に呼ばれたんだけどおー

何にもないです

あら？

SNSにあげる写真一緒に撮ってほしいんだって

ちょ

そんなこと言ってないじゃないですか

そうならそうと早く言ってよ〜

はい撮るよ〜

ぱしゃ

カタくはなくなりましたけど

これはネットにあげません！

え〜〜

CREATORS COMMENTS

クリエイターズコメント

『たきな自撮りチャレンジ』

Creator

森永ミキ

Comment

第２弾発売おめでとうございます！

またリコリコの皆を描けて嬉しいです。

楽しんでいただければ幸いです！

Lycoris Recoil
Official Comic Anthology
☑Repeat 2

今度は白いちごとホワイトチョコの白尽くしです。
キラ
キラ
キラ
最初に千束に試食してもらうんです
playing tag：奈々鎌土
あの子 何だって喜んで食べるでしょ
知ってます でも少しくらい私もやり返したいんですよ
いつも振り回されっぱなしですから
あ～わかった～
千束に喜んでほしいんだ～
ギッ
違います
呼んだ？

千束！
え～なになに～？
私のウワサ～？
たきなが
千束にって
あっ
おっ
いいねえ
いいねえ！
いただきまーす！
おいしい！
そんな反応だろうと
予想はしていた
けれど
これじゃ私一人
空回りしてる
みたいで――
腕上げたね
たきな～

面白くない！
おい
？
ぽしょ ぽしょ
！
コレなら少しくらいは動揺するはず…！
千束 あーんしてください
スッ

え
ぱ
もらったっ！
ひょいっ
あら～っ
ええええええええ
ノータイムで食いついたか
こうなるのわかってたんでしょ～？
かわいい子のあーんは寿命が延びるねぇ
おかわりちょーだーい？
ん？たきな？
ばっ
が
プルプル

悔しい!!
これじゃ本当に一人相撲だ!!

不慣れな事はするものじゃないですね……

クールっ娘の悔しそうな表情はたまりませんなぁ

〜〜っ

千束も少しは動揺とかしないんですか

するよー?

えっ

どんな時です!?

今とか？
ふふーんっ
にへっ
千束〜〜〜〜!!
ぐぬぬぬぬうっ

CREATORS COMMENTS

クリエイターズコメント

『playing tag』

Creator

奈々鎌土

Comment

リコリコ新作アニメーション制作決定、
おめでとうございます。
楽しみです！

Lycoris Recoil
Official Comic Anthology
☑Repeat 2

CLOSED
う〰〰ん
う〰〰〰〰〰〰ん
うう〜〜ん
千束(ちさと)?
何を唸(うな)っているんですか
……ぬ
描けぬ!!
締め切リコリス
…しろううらやま

4コマ漫画…ですか？
地域新聞の隅っこに載せるやつ頼まれてさー

漫画なんて描けたんですね
普段伊藤先生が描いてるのを見てるからねー
当然描ける！

…と思ってたんだけど
安請け合いして苦戦中…と

それこそ伊藤さんにアドバイスを求めては？
あちらも今修羅場真っ最中

こちらの締切はいつなんです？
明日
なるほど…
明日!?

ふむ
4コマ漫画の基本は起承転結
千束が今描いているのが…

釣り人が何かを釣り上げて驚いていますね
!?
大物だー
!!

3コマ目まで埋まっているので
ラストで意外なものが釣れる…というオチでしょうか

うむ…
むむむむ…!

そこで詰まってるんだよぉー
たきなも一緒に考えてぇ

…！
できました
どれどれ…
見ての通り人魚です
人魚!?
ひひーっ
ひひーっ
なーに騒いでんのあんたたち
ミズキさん
へー漫画？
ミズキは何が釣れたらいいと思う？
カッ
なんか大体想像つくからやっぱいいや

私も実は
考えたんだよ
人魚
なんか
ロマンチックで
いいじゃんね
ならそれで
いいじゃ
ないですか

もっと
いいアイデアが
ある気がする…
見た人の魂を
揺るがすような
すぐさま
ウキウキで釣りに
出かけたく
なるような
ハードル
上げすぎ
じゃない？

……
ここに2コマも
いらない気がしてきたな
!?

ここを詰めて
3コマ目で
人魚が釣れる
その上で
4コマ目に
さらにオチ

何か…
何か…
締切のこと
覚えてます
？

とと――と
クルミさん!!
うおっ

…4コマ漫画か
できなくもないぞ
クルミ様…
あらゆるオチのパターンをAIに読み込ませて
千束の作ったストーリーに反映

画像を出力
1コマ
2コマ
えっ絵もできるの?
3コマ目
人魚(にんぎょ)…!

４コマ目
今日は
お刺身だー
!?

ブラック
過ぎる!!
形には
なってるんじゃ
ないか?
珈琲豆煎子の
作家性はもっと
ハートフルに…!
ペンネーム…
??

詰んだ
諦めないで
ください
人魚の命が
かかっています

この子は海から
地上に出て…
何を思うんだろ

想像も
しなかったような
世界に触れて
かけがえのない
経験をたくさん
すると思います
……
たくさん？
たくさん
いっぱい
です
んじゃあ
この1コマに
収まんないね
そうかも
しれません

聞いたことがあるよ

自作の漫画を発表するお祭り！

この話描いて持っていこう！

えーっと次は夏開催…

サークル名はそうだなー

喫茶リコリコ!!

でいいか！

…でー？
4コマは？

なんか
盛りあがっちゃって
時間だけが
過ぎておりました…

OOOPS!
メイドー
人魚だけに

…採用!!
締切には
なんとか
間に合いました

CREATORS COMMENTS

クリエイターズコメント

『締め切りリコリス』

Creator

しろううらやま

Comment

新作アニメ制作決定の報せに胸躍らせながら、
この漫画の締め切りと対峙しております。
喫茶リコリコの珈琲飲みたい！

Lycoris Recoil
Official Comic Anthology
☑Repeat 2

夢の共同生活？ 凡竜

なんで教えちゃうかなぁ

じゃんけんの秘密

たきなとの同棲がかかってたっていうのに〜ッ
もうっ
あんたねぇ
ププププ

にしたって
すぐ荷物まとめなくてもいいじゃん
愛がないよ
愛がッ!!
ツン
ツン
ツ
やめろっ
たきな 相当嫌気さしてたな
ブブ!!
ブブ!!
ズルです。絶交です。
ブブブ
ブブ
もしくはじゃんけんにムカついたか
まっ
まさかぁッ
カタ
カタ
カタ
先生ッ!!
今日たきなは?

夕方からと聞いているが
本部に用事があるとか
これは指導だな
補助金を減らされて…

カラン
こんばんはー
たきなぁ
ギュッ
じゃんけん
ゴメンねーッ!!
嫌いに
なっちゃった?
ウル
ウル
別にならないですよ
少しムカついてますけど…
よ
よかったぁ~
キャー
よかったねぇ~
それより
これ

パァ…
プレゼントか？
いえ 私のお泊まりセットです
たきな
本部にも許可を得てきました
!

今後
有事などで
お世話になる際に

パジャマ 歯ブラシ
化粧品など
置いていただいた方が
便利かと思いまして
まとめ直しました

同棲ってことーッ!!
かわいいなぁもう
どど…
同棲じゃないですッ

共同生…
まぁ
長めのパジャマパーティ
ってとこでしょう
じゃあ帰りにおそろのマグカップも買おう!!
仲がよろしくって
検討します
カラン

せんぱーい
私とって
話っすよー

今日も
リコリコは
平和です

CREATORS COMMENTS

／クリエイターズコメント

『夢の共同生活？』

Creator

凡竜

Comment

共同生活中、シャンプーとかコスメの趣味は違うけど、
歯磨き粉だけは同じものを使ってそうな距離感の
千束とたきなが好きです。

Lycoris Recoil
Official Comic Anthology
☑Repeat 2

リコリコ・ゴクラク

……うたしま

なんだこれ…
さしいれ♡
「よき
お風呂ライフを！」
…千束か
中身は
おもちゃか？
スイ〜
ふふ…
ふふふふっ

うおっ
クルミ
どうしたの!?
ぐてー
お風呂で遊んで
のぼせたんですよ

はいクルミ！
今度はのぼせないようにね

おおありがと
あとこれもあげる〜
温泉の素
入浴剤…温泉の素

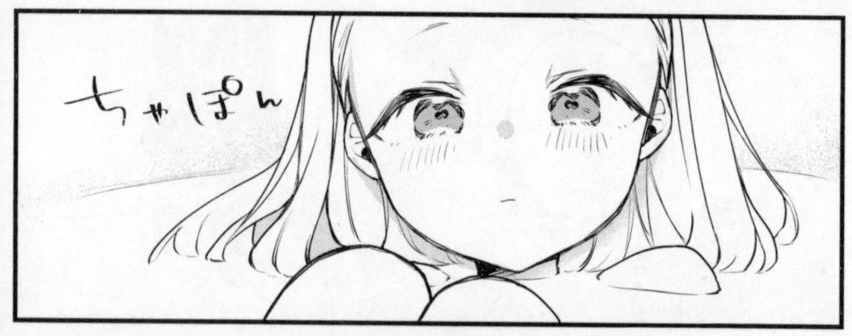
ちゃぽん

ザパー
おおお…これはなかなか…

JASRAC出2300957-301

CREATORS COMMENTS

クリエイターズコメント

『リコリコ・ゴクラク』

Creator

うたしま

Comment

クルミかわいい！を
皆様と分かち合いたい気持ちで描きました。
楽しんでいただけていますように…！

※ヒマなのでスキンシップはげしめ。
ひゃっひゃっ
ひゃっほっほ
クルミのほっぺ
マジ柔らか
むっちぷるゥ
ほれほれほれ
ぷるぷる〜〜!
クルミ
ぷるぷる〜〜!
ぅう
やめろぉ
お〜〜!
やめひぇ
くりぇえ〜
もにもに
むにむに
『ほっぺぷにぷに』
井ノ上すたすた
お?
ぎ〜〜っ
たぁきなも
よく見りゃ
ほっぺわりと
ぷにっぷに
じゃ〜ん?
ホレホレ
これこれぇ!
もにもにもにいみいみ
ぷるぷる
むにむにむるむる
千束のお時間…弐尉マルコ

千束の「ココ」にはかないませんよ〜
たいそう立派なモノをお持ちで〜
ほれほれぷにぷにむちぷる〜
むにむにむにむにむにむにむるむるむるむる
もにもにもにもみもみぃいみぎ

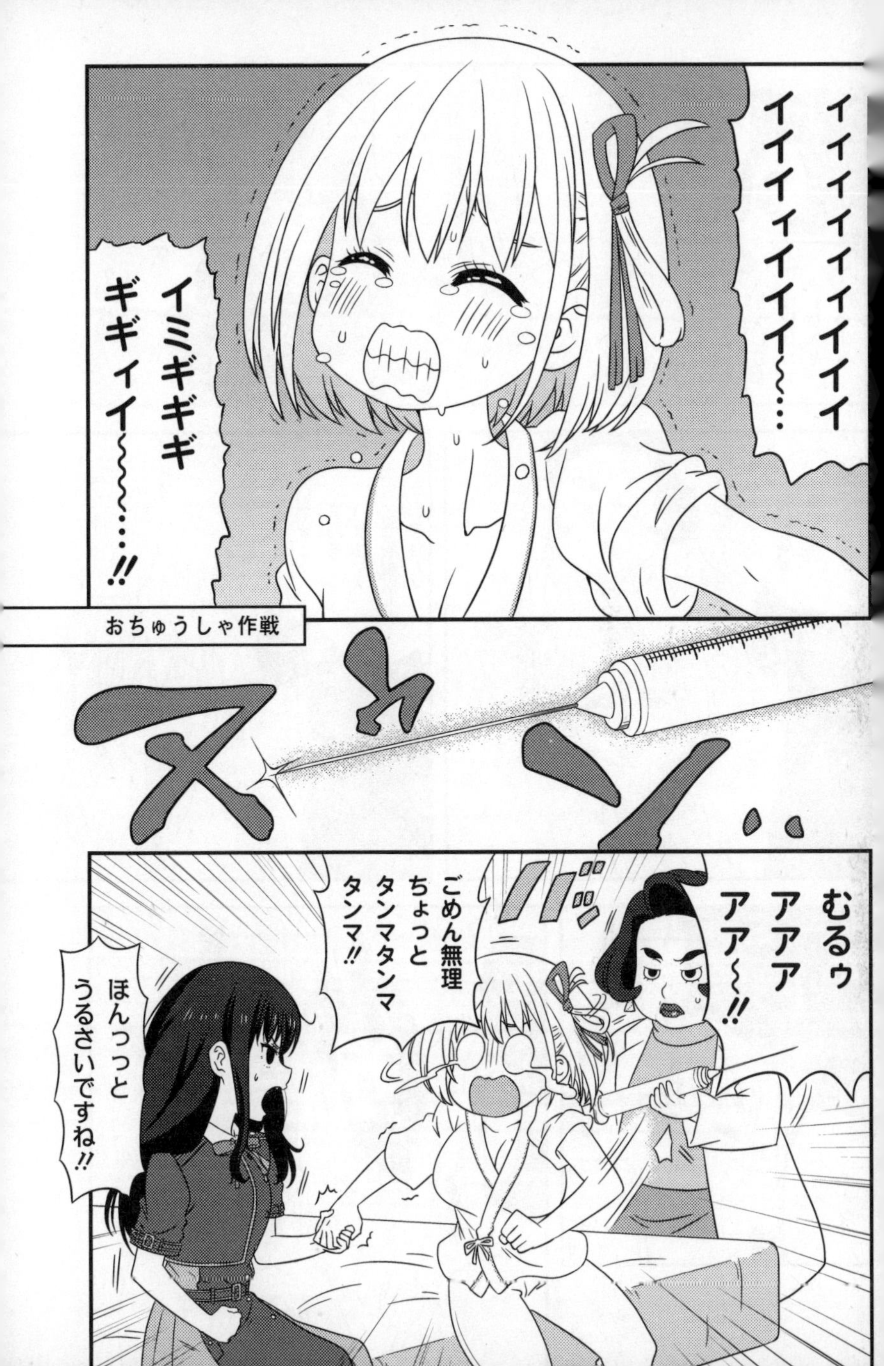
イイイイィイイイ
イイイイィイイイ〜…
イミギギギ
ギギィイ〜〜〜…!!
おちゅうしゃ作戦
ヌ〜〜イ…
むるゥ
アアア
アア〜〜!!
バッ
ごめん無理
ちょっと
タンマタンマ
タンマ!!
ほんっっと
うるさいですね!!

ええ歳したリコリスが注射ぐらいでぎゃあぎゃあ情けないんかい!!
えええん たきなの関西弁出たァ
いやだって見てあの太さ! もう武器じゃん! 身体が避けようとするのよ!
特殊なやつだからよ
どうしても今日はコレしなきゃなのよ

たきな手ぇ握ってて…!
ヒンヒン
はい! 何にも怖くないですよ! 真島もいません! ニセ看護師もいません!

帰りにおやつ買ってくれる…?
スン スン
そ~っ…
今! 今!
買います 買います! 花いなり寄りましょう!

殺気!
おう…

リコリスの才能いらんとこで使いよってからに…!
ごめん ごめんて!

ヘッ…

ぎゅっ…

なんにも怖く
ないですよ！
たきな…！

――いいコンビよ
あんたたち
いくよ

あ でも
ちょっと
怖ッ…
ぐいっ
ブブリ
イッ

大真面目に
怒られました

『千束会議』
隣 よろしいですか？
おう
任務ですけど二人でこういうのってなんか珍しいですね
だな…
人払いしたら動くぞ
だけど任務だ普通にしろよ
普通の女子高生に
私は大丈夫ですよ
あんだと？
…千束とはうまくやってるみたいだな
お陰様で
た
その千束のことなんですが…
なんだよ？

千束は 相手の視線や筋肉の動きとかを洞察して弾などを避けるんですよね
そうだ
要は目がいいんですよね
そうだな

…でもあの人たまに『目』以外で避けてません？
ある‼

やっぱお前気づいた⁉ なんなんアレ？
後ろにも目あるときないか？
わかりませんよ…
何聞いても「勘だよ〜うひゃひゃ」とか言ってはぐらかされて…

私は今
宮本武蔵と同じ
ステージに
立った
ぜ！

そうですね
でもその
お箸（はし）は捨てて
くださいね？

相変わらず
バケモンだな
あいつは…

大体だ！見えっからってそう避けられるもんじゃないだろ弾なんて
あんな重てえもん二個もぶら下げてアホみてえな動きできることからしておかしんだよ
弾筋読み過ぎて逆にもはや歩いてる時ありますよね
弾の方が千束を避けてるようにしか見えません
こんなことがあったぞ！
それだそれ！
そこにいるのは分かってんだぞ出てこぉい!!
それでは錦木吶喊しまぁす☆
ンな指令出てねぇ待てアホ！
おっほぉい
マジで出やがった援護!!
ほっ
ほい
ほいな

相手は素人寄りのプロ
難なく倒せはしたものの…
私はとてもおぞましいものを見た…！

シュウウ～

ほいじゃね～
お手伝い料忘れんなよ♡

プスプス…

弾避けられっからってできることかコレ!?
敵とグルなんじゃねぇかとまで思えてくるわ！

もはや芸術ですね…
あらゆる面でかないません

…ところでなんで2個ぶら下げてるものが重たいって知ってるんですか

忘れろ

ポコン
あたっ
おぉ？

お前ら！
合流の予定だろが
なに隠れて
人のハナシ
聞いてんだ！
ヘキ〜ッ!!
や〜 なんか珍しい
組み合わせが仲良く
おしゃべりしてる
もんだから気に
なっちゃいまして〜

やあどうも
史上最強のリコリス
錦木ミラクル千束
でェす☆
黙ってください
いいから
種明かしをお願い
できませんか？
黙れば
いいのか
話せば
いいのか

種明かしも
なにも…
ちゃ〜んと
見てるだけよ？

直接相手を見なくても鏡とか窓とかガラス片その辺の金属の手すりだとか
色んなところに色んなものが映ってるものなのよ?
ギョロロロロ
ギョロロロロ
蝿なんか音もするし余裕よ
それを見て総合的に判断してんのサクラ今引いて3歩さがったね?
ウス
目の動き怖ぇんだよ

まあ勘…とも
言えるのですが
別れた時間から
千束の動く速度などを
考慮して 大体もう
着いてるかな？
姿を見せないところを
見るに私とフキという
珍しいコンビをこっそり
観察でもしてるんじゃ
ないかな？
それなら
ベストな場所は
あのあたりだなって…
私には
特別な眼力など
なくても…
千束のことなら
お見通しなん
ですよ？
ほ
ほっ
ほぉ～お？

ん〜ッ!!
私もうたきなから
逃げられない
じゃ〜ん!

ボン

ボン

いえ
マジでもう
逃がしは
しませんよ

急にガチめに
返すの
やめん…?

ザッ

はい
フキです

指示が来た!
お前ら任務だ
切り替えろよ!!

ちょ
ベルト
掴まないで…?
逃げないから!
逃げないから!!

2手に
別れて…

切り替えろ
つってんだ!!

有意義な
『千束会議』
でしたね!

どこがだよ…
ワケわかんねぇ話
聞かされただけだ

行くぞ

ッス

しずかに!

…たきな
さぁ

私のこと何でもお見通しなんだよね
ええもちろん
いま何考えてるかわかる?

『敵の弾で次は☆マーク描いてやろうかな』
ちゃうわ!!

CREATORS COMMENTS

クリエイターズコメント

『千束のお時間』

Creator

弐尉マルコ

Comment

今回はいろんな千束を描きました。
皆さんのお気に入りの千束はどれでしたでしょうか？
私はお注射に耐えてる時のが好きかな。

CREATORS COMMENTS

クリエイターズコメント

Creator

深川可純

Comment

アニメ面白かったです！
千束ちゃんの声が
めちゃめちゃいいですね！

Creator

あっと

Comment

１巻に続き２巻も口絵イラストを
描かせていただきました。
前回が主役の２人だったので、
今回はクルミにしてみました。
身長的に描きやすかった気がします。

Creator

こるせ

Comment

魅力的なキャラクター描写と
印象的で可愛い衣装デザインが
たまらない作品でした！
２人の日常がもっと見たい…！

Lycoris Recoil
Official Comic Anthology
☑Repeat 2

MFC

MFC
リコリス・リコイル 公式コミックアンソロジー リピート 2

発行日 2023年 3月23日 初版発行

原作 Spider Lily
発行者 山下直久
編集人 赤坂泰基
発行 株式会社KADOKAWA
〒102-8177 東京都千代田区富士見2-13-3
0570-002-301(ナビダイヤル)

編集企画 MFCコミック編集部
印刷 凸版印刷株式会社
製本 凸版印刷株式会社

ISBN 978-4-04-682357-1 C0979